Ça suffit!

Claudie Stanké
Barroux

À Catherine Germain,
auprès de qui est né Petit Loup
C.S.

Les 4 coups

Il était une fois, juste une fois, un petit loup qui n'arrivait pas à sortir de son lit. S'il n'y arrivait pas, ce n'est pas parce qu'il ne pouvait pas bouger les bras ou les jambes. Non, c'est que notre petit loup n'avait pas envie d'aller à l'école. Même qu'il ne voulait plus jamais y retourner. Pourtant, il devait bien aller en classe comme tous les p'tits loups de son âge.

Dès qu'il avait ouvert les yeux, notre loupiot avait senti une petite boule de tristesse grossir au fond de son cœur. Et son cœur était devenu lourd, si lourd, qu'il était incapable de se lever.

Pour dire la vérité, si notre loupiot avait tant de chagrin, c'est parce que... à l'école, les p'tits loups n'étaient pas gentils avec lui. Ils étaient même méchants, très méchants.

Notre petit loup tournait et se retournait dans son lit. Puis, comme s'il avait eu des ressorts en dessous des pieds, Petit Loup sauta hors du lit en criant :

– Ça suffit !

Oui, il avait décidé de prendre tout son courage et d'aller dire aux méchants p'tits loups d'arrêter de l'embêter.

Notre loupiot enfila ses vêtements à une vitesse éclair. Jamais il ne s'était habillé aussi vite. Ensuite, il mangea son petit déjeuner en une bouchée. Jamais il n'avait mangé aussi rapidement.

Puis, il était sorti de chez lui en marchant à
grands pas. Jamais il n'avait été aussi pressé.
Seulement... plus il se rapprochait de l'école,
plus il ralentissait la cadence. Pour un peu,
on aurait cru qu'il marchait à reculons.

Petit Loup avait marché si lentement
que ce qui devait arriver arriva: il était
en retard à l'école.

À peine avait-il ouvert la porte de sa classe que tous les p'tits loups s'étaient retournés pour le regarder. Pour un loupiot qui ne voulait pas se faire remarquer, c'était plutôt raté...

Sa maîtresse l'accueillit avec un large sourire, mais, avant même qu'il aille s'asseoir, elle lui demanda de venir au tableau :

– Petit Loup, toi qui es bon en calcul, viens nous aider à faire cette addition.

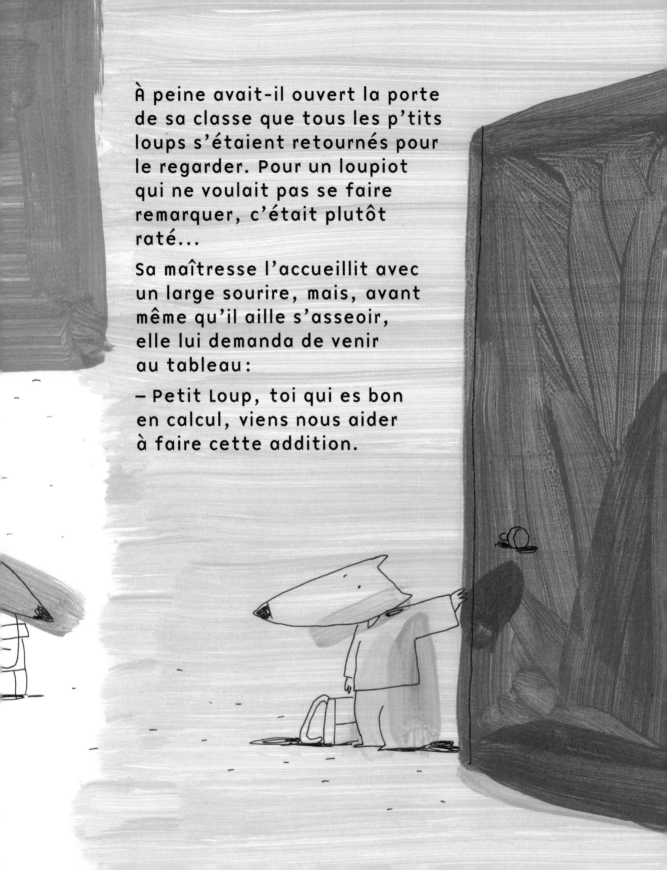

Ce matin-là, notre loupiot ne comprenait rien à tous ces chiffres qui étaient écrits au tableau. Il y avait trop de nuages gris dans sa tête... Il est donc retourné à sa place sans avoir dit un seul mot.

Et aussitôt que la maîtresse a tourné le dos, les p'tits loups ont commencé à lui dire des mots pas très gentils :

– T'es pas bon.

– Tu ne sais pas compter.

– T'es nul.

Les p'tits loups parlaient tout bas pour ne pas que la maîtresse les entende, mais... juste assez fort pour que tous ces mots méchants viennent jusqu'aux oreilles de Petit Loup.

Petit Loup aurait bien voulu crier : « Ça suffit ! » comme il l'avait fait ce matin quand il était dans sa chambre, mais... comment faire devant tous les p'tits loups de sa classe ?

Notre loupiot passa la matinée à essayer d'éviter les autres p'tits loups. Il n'osait même pas les regarder.

C'est donc tête baissée qu'il s'est rendu à la cantine.

Une fois servi, Petit Loup retrouva le sourire,
car il y avait des biscuits au dessert et qu'en
plus, c'étaient des biscuits à l'avoine et aux
pépites de chocolat. C'est dire comme il était
content. Seulement... à peine était-il assis
que les méchants p'tits loups se sont rués vers
lui. En quelques secondes, ils avaient mangé
ses deux petits biscuits en se moquant de lui:

— T'as pas besoin de manger, t'es gros.

— Espèce de grosse patate!

— Gros boudin.

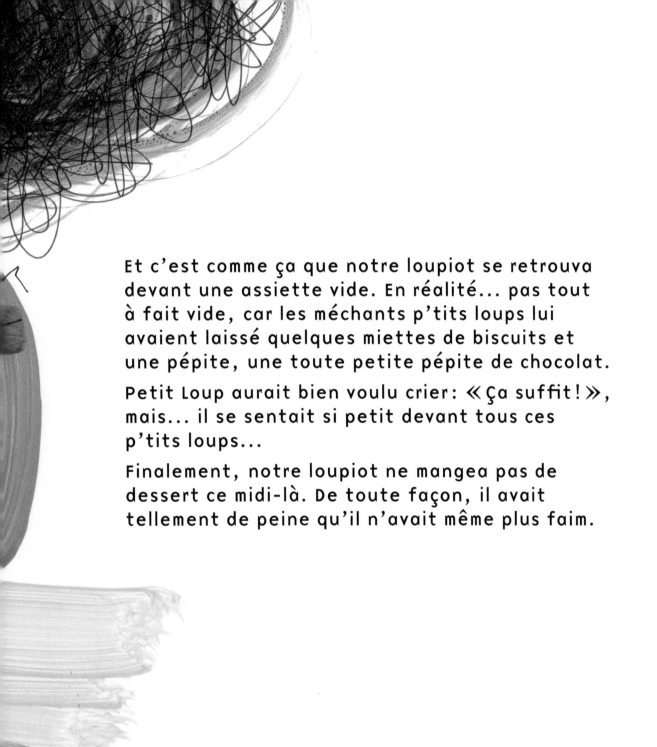

Et c'est comme ça que notre loupiot se retrouva devant une assiette vide. En réalité... pas tout à fait vide, car les méchants p'tits loups lui avaient laissé quelques miettes de biscuits et une pépite, une toute petite pépite de chocolat.

Petit Loup aurait bien voulu crier: « Ça suffit ! », mais... il se sentait si petit devant tous ces p'tits loups...

Finalement, notre loupiot ne mangea pas de dessert ce midi-là. De toute façon, il avait tellement de peine qu'il n'avait même plus faim.

Heureusement que l'après-midi commençait avec du bricolage. Ce jour-là, la maîtresse avait sorti de la peinture. Notre loupiot s'était amusé à mélanger les couleurs et s'était appliqué à faire un beau dessin.

Une fois qu'il eut terminé, Petit Loup alla le porter à la maîtresse, qui le félicita aussitôt:

– C'est magnifique, bravo! Tu as beaucoup de talent Petit Loup.

Notre loupiot était si content qu'il retourna à sa place, le cœur léger. Mais voilà qu'une petite loupiote avait glissé une éponge imbibée d'eau sur le tabouret de notre petit loup. C'est comme ça que notre loupiot s'est retrouvé avec le fond du pantalon tout mouillé.

Sitôt sortis de la classe, les p'tits loups se sont mis
à courir derrière lui, en le ridiculisant :

— T'as les fesses mouillées !

— Il a fait pipi dans ses culottes !

— Oh, le bébé...

Petit Loup aurait bien voulu crier: « Ça suffit! »,
mais... il se sentait si seul devant tous ces p'tits loups...

Comme c'était le temps de la récréation, notre petit loupiot se rendit dans la cour sans même se retourner. Et comme d'habitude, il resta assis dans son coin. Mais voilà qu'un p'tit loup s'approcha de lui, un ballon à la main.

– Hé ! Tu veux faire une partie ?

C'était bien la première fois qu'un p'tit loup de sa classe lui demandait de jouer au ballon avec lui. Petit Loup était tellement heureux qu'il n'hésita pas un instant. Il se leva d'un bond, mais à peine avait-il fait un pas que le p'tit loup lui fit un croche-pied. Notre petit loupiot trébucha et s'étala sur le sol de tout son long, tandis que les autres p'tits loups le regardaient en se tordant de rire.

Sans plus attendre, notre petit loup alla se réfugier à l'infirmerie. À peine était-il entré qu'il fondit en larmes. Et, entre deux sanglots, il murmura ces mots : « Ça... su... su... suffit ! »

Malgré sa peur, notre loupiot a pris son courage à deux mains et il a raconté à l'infirmière toute la tristesse qui était cachée au fond de son cœur.

Immédiatement, l'infirmière est allée dans la classe de Petit Loup afin de parler à sa maîtresse.

Après avoir écouté attentivement tout ce qui devait être dit, la maîtresse de notre loupiot a regardé tous les p'tits loups de la classe, un à un, les yeux dans les yeux... Puis elle a écrit, en grosses lettres sur le tableau noir, le mot: *RESPECT* et elle a expliqué ce que cela voulait dire.

Elle a parlé ensuite de la différence, de l'amitié, de tous ces mots qu'on doit apprendre quand on est petit et qu'on ne doit pas oublier quand on est grand.

Ce jour-là, les méchants p'tits loups sont rentrés chez eux en regardant par terre, comme s'ils cherchaient une excuse à cueillir pour notre petit loup.

C'est bien vrai que c'est en parlant que les choses peuvent s'arranger et que l'on peut devenir des amis, car le lendemain, et les jours qui ont suivi, tous les p'tits loups de la classe ont commencé à parler à notre petit loup. Aussi, même si cela peut paraître incroyable, sur le chemin de l'école, on a entendu notre petit loup chanter! Et croyez-le ou non, il était accompagné... d'une petite loupiote.

Nous remercions le Conseil des
arts du Canada de l'aide accordée
à notre programme de publication
et la SODEC pour son appui
financier en vertu du Programme
d'aide aux entreprises du livre
et de l'édition spécialisée.

Nous reconnaissons l'aide financière
du gouvernement du Canada par
l'entremise du Fonds du livre du Canada
(FLC) pour nos activités d'édition.

Gouvernement du Québec – Programme
de crédit d'impôt pour l'édition
de livres – Gestion SODEC

Les Éditions Les 400 coups sont membres de l'ANEL.

ça suffit!

a été publié sous la direction de Renaud Plante.

Design graphique: Bruno Ricca
Révision: Marie-Andrée Dufresne
Correction: Sophie Sainte-Marie

Dépôt légal – 2e trimestre 2018
Bibliothèque et Archives nationales du Québec
Bibliothèque et Archives Canada

ISBN 978-2-89540-721-8

Loi 49-956 du 16 juillet 1949 sur les
publications destinées à la jeunesse.